Ephrem Desjardins

Petit
lexique
de mots
québécois
à l'usage
des Français
(et autres francophones d'Europe)
en vacances
au Québec

Editions
Vox Populi
Montréal, Québec .

Du même auteur

Manger pour moins de six dollars
Le SEUL guide québécois
des restos vraiment pas chers
(Vox Populi, parution avril 2002)

Histoires pas toujours vraies
du fin fond du Québec
(contes pour adultes, à paraître)

Petites histoires
de patins à roulettes
(contes pour adultes, à paraître)

Ephrem Desjardins

Petit
lexique
de mots
québécois
à l'usage
des Français
(et autres francophones d'Europe)
en vacances
au Québec

Éditions
Vox Populi
Montréal, Québec .

Il a été tiré de cet ouvrage
vingt-cinq exemplaires
numérotés de 1 à 25
et réservés à l'auteur .

ISBN 2-922993-00-0

© Editions Vox Populi Internationales
Dépôt légal : 1er trimestre 2002
Bibliothèque nationale du Québec
Bibliothèque nationale du Canada

Les Editions Vox Populi Internationales,
case postale 88030, Longueuil, Québec, J4H 4C8.

A Francis .

Notre langue, mon fils,
a traversé un océan et trois
siècles . Elle vit toujours .
Prenons–en soin... prends-en
soin avec moi .

Avant-propos

Mon petit livre n'a qu'une prétention : c'est de vous faire connaître des mots et expressions que vous pourrez entendre dans la bouche de **n'importe quel Québécois** (sans distinction régionale) lors d'un premier séjour au Québec.Son unique but est de vous aider à *comprendre* les Québécois, et en ce sens il pourrait bien vous être précieux. Ce n'est cependant pas un dictionnaire. Ne vous attendez donc pas à y trouver, vu son format, tous les mots ou tournures qui existent chez nous: il eût fallu pour cela l'équivalent d'un Petit Larousse !

*

Vous trouverez dans ce modeste lexique les **québécismes** de plusieurs types. Les premiers le sont par glissement sémantique. *Poudrerie, se brancher, dépanneur,* ou encore *char* en sont des exemple. Ces mots ont pris chez nous un sens nouveau (le sens a donc *glissé*), perdant même parfois toute autre signification à l'oreille d'un Québécois que celle propre au parler du Québec.

7

C'est le cas du mot *poudrerie* : affirmez chez nous que celle-ci est une usine où l'on fabrique de la poudre à fusil, et soyez assurés qu'on vous regardera d'un air dubitatif ...

*

Deuxième type: les dérivés de mots étrangers -pour la plupart amérindiens ou anglais- ayant formé des néologismes <u>au Québec seulement</u>. Pourquoi cela ? Tout simplement parce qu'après leur arrivée en Nouvelle-France nos ancêtres ont radicalement perdu contact avec la langue parlée en métropole . A partir de là chacun des deux groupes cousins a fait à peu près ce qu'il a voulu de son vocabulaire !

Les mots d'origine amérindienne sont le reflet de l'adaptation de nos ancêtres à leur nouvel environnement et donc à des réalités nouvelles : pourquoi en effet renommer ces objets de la vie courante (**rabaska**) ces plantes ou animaux (**chicoutai, orignal, ouananiche**), ou encore ces lacs, villes et rivières (**Yamaska, Memphremagog**) ? Plutôt adopter la terminologie des premiers habitants du lieu...

Pour ce qui est des mots d'origine anglaise, on peut affirmer que l'adoption

8

d'une très grande majorité d'entre eux ne relève aucunement, comme on pourrait le croire, d'une quelconque mode. Déjà éloignés de la France par la distance et depuis environ 150 ans, ce qui eût été suffisant en soi pour que la langue prenne une tangente par rapport à celle parlée en métropole (et c'est d'ailleurs ce qu'elle a fait), ensuite carrément coupés de la Mère-Patrie par l'occupation anglaise en 1759, les Québécois ont encore une fois continué à façonner la langue à leur façon en francisant dès lors, dans leur prononciation et par la suite dans leur orthographe, certains de ces mots étrangers. Des exemples ? **Bécosses**, découlant du mot anglais back-house (littéralement la *maison derrière*, ou petite cabane derrière la maison où l'on va faire ses besoins), ou encore **binnes**, de l'anglais beans. Ce phénomène linguistique vous est familier, puisque vous utilisez vous-mêmes en France le vocable *redingote*, une déformation de l'anglais riding-coat, littéralement *manteau d'équitation*.

Comme les élèves québécois des générations suivantes ont été élevés à coup de Larousse et de Robert, tout le monde chez nous connaît bien sûr redingote, mais le phénomène inverse est plus rare en France, puisque les mots québécois n'ont à peu près jamais franchi le grand océan, sauf exceptions (nous y reviendrons plus loin), et que point de dictionnaire québécois dans les écoles françaises, aux dernières nouvelles…

Les Anglais nous ont, quant à eux, emprunté bien des mots. Un seul exemple : la désuète mais néanmoins toute charmante expression conter fleurette, dont ils ont tiré le mot flirt, que d'aucuns croient sûrement être un mot anglais …

Dans le cas particulier des mots amérindiens, le phénomène est tout autre. Tout simplement du fait que ces vocables décrivaient, comme précédemment mentionné, des réalités inconnues de nos ancêtres, et qu'ils étaient proprement intraduisibles en français, on les a adoptés naturellement, et approximativement avec la même prononciation que dans leur langue d'origine : ***achigan***, ***caribou***, ou, parmi les noms propres, pensons à rivière ***Yamaska***, ou lac ***Memphremagog***.

Comme en France on a adopté les mots spaghetti ou macaroni , arrivés de chez vos proches voisins et impossibles à traduire en français, pourquoi n'aurions-nous pas fait de même au Québec ?

Mais si en général nous n'avons pas voix au chapitre quant à l'ajout de nos mots dans *vos* dictionnaires, il n'en reste pas moins que vous connaissez certains mots amérindiens! Quand vous dites d'une situation qu'elle est un sacré micmac, savez-vous que c'est le nom d'une tribu d'Amérindiens du Québec? Le mot Québec (on pourrait tout aussi bien l'orthographier Kebek) est lui-même (ô surprise!) un mot hérité des Amérindiens, et signifiant à peu près « *là où le fleuve rétrécit* » ...

*

Troisième type : Les québécismes par création de mots ou de tournures , par exemple : **débarbouillette, beau dommage!, banc de neige**, ou encore, plus récemment, **pitonner**. Ce type de créations, preuves de notre inventivité, c'est par douzaines que vous les entendrez lors de vos vacances chez nous! Un espace est prévu à la fin du présent ouvrage, au cas où l'envie de les colliger vous assaille !

*

Cependant, en toute amitié, je vous donne un petit truc : même si vous arriviez à mémoriser l'intégralité de ce lexique, servez-vous en comme **outil de déchiffrage**, mais n'émaillez pas vos phrases de ces mots ou expressions pendant vos vacances , en *tentant* d'imiter l'accent de chez nous .

D'abord, et veuillez me croire, *je vous jure que vous n'y arriverez pas!* Même après trente ans au Québec, on reconnaît un Français à sa façon de prononcer certains mots. Alors imaginez après trois jours...

Peut-être les Québécois sont-ils des gens susceptibles, mais autant ils seraient admiratifs devant quiconque imiterait l'accent du Québec à la perfection (ce qui serait chez nous considéré comme un exploit) autant ils sont agacés devant les *tentatives* qu'on leur sert inévitablement à chaque fois que des cousins d'outre-Atlantique débarquent, ou que des comédiens français **tentent**, encore une fois **j'insiste**, d'y arriver…Alors évitez de susciter cet agacement...

Imaginez qu'un Québécois s'esclaffe, pendant ses vacances en France, chaque fois qu'il vous entend parler, ou qu'il vous répète sans cesse « *Ah ! Quel accent vous avez!* ». Sans doute seriez-vous vite agacés…et vous auriez raison ! C'est rarement le cas, vous l'aurez sans doute remarqué. Mais pourquoi donc? En réfléchissant un peu à cette question, il est facile de se rendre compte que des raisons toutes simples expliquent cette différence : s'il y a maintenant belle lurette que grâce au cinéma et à la chanson française notre oreille s'est habituée à vos différents accents et tournures et que pour nous votre façon de parler, si elle est *typique*, n'est plus *exotique*, l'inverse n'est pas aussi vrai.

C'est en 1950 seulement, rappelons-le, que Félix Leclerc a poussé le refrain chez vous et que l'on a, en quelque sorte, « découvert » la parlure québécoise. Si Raymond Lévesque et quelques autres ont sillonné la France avec leurs chansons dans les années 50 et 60 (avec tout de même, malheureusement, moins de succès que Félix et une diffusion, vu l'époque, relativement limitée), il a fallu attendre les années 70 pour que, à la suite de Robert Charlebois, une deuxième vague d'artistes de la chanson de chez nous prenne d'assaut les ondes françaises…

S'il est vrai que la vague est depuis devenue déferlante, il faut tout de même préciser qu'elle fait surtout entendre des chansonnettes populaires souvent écrites

13

par des auteurs français qui n'ont, par la force des choses, pas la connaissance du parler populaire québécois. Pensons aux Goldman chantés par Céline Dion… ça n'est pas ce genre de répertoire qui va faire s'habituer à notre parler les oreilles françaises…

Mais au peut au moins dire que par extension ou, en quelque sorte *parallèlement*, cette vague a tout de même suscité un intérêt marqué chez vous pour la culture québécoise dans son ensemble, ainsi qu'une recrudescence de vacanciers français explorant le pays cousin chaque année et en toutes saisons …

Quelques sporadiques succès de cinéma québécois, certaines séries télévisées (voir encadré) et maintenant quelques deux ou trois cas d'animateurs-trices ou d'humoristes ont fait en sorte d'amplifier le mouvement de rapprochement… Mais de toute façon rien d'encore suffisant dans votre *habitude* d'écoute de nos accents pour que l'exotisme ne fasse plus son effet…car tout cela est bien récent !

Des séries québécoises ? ?

Pensons à « *Symphorien* ». Cette série, qui avait le mérite d'être en parler populaire québécois, fut diffusée en France il y a quelques années. Malheureusement on la diffusait la nuit, à une heure où à peu près tout le monde dort ! Le but de la manœuvre ? Pas compliqué : on pouvait avoir pour pas cher ce téléroman qui datait déjà de quelques années , et ainsi répondre aux normes de contenu minimum francophone, tout simplement !

Quant aux « *Filles de Caleb* », curieusement rebaptisées « *Emilie* » en France, elle a malheureusement été post-synchronisée avec un faux accent québécois, plus proche du vôtre, et encore une fois cachant notre réalité linguistique...

Un exemple plus actuel : « *Un gars, une fille* ». Ce grand succès de la télévision québécoise (eh oui !) est tellement *adapté,* qu'on ne peut virtuellement pas en deviner l'origine !

* *

Donc, et pour l'heure, si c'est vous qui êtes ou qui allez être en vacances chez nous, n'oubliez pas que, malgré tout ce que vous venez de lire, **pour nous**, *c'est* <u>*vous*</u> *qui avez un accent !*

Ephrem Desjardins

Clefs

Un mot en *italique* est un mot québécois. L'astérisque (*) qui y est accolé renvoie à la définition de ce mot.

Une phrase en *italique* est une tournure québécoise dont l'auteur a estimé superflu d'en donner un exemple sous forme de citation, parce que suffisamment claire. Une phrase entre guillemets (« ») doit être entendue comme une citation en langue québécoise.

Abréviations utilisées.

Adj. : adjectif qualificatif .
Adv. : adverbe .
Inv. : invariable .
N.f. : nom féminin .
N.m. : nom masculin .
N.m. et f. : nom masculin et féminin à la fois.
N.m. plur. : nom masculin pluriel .
N. et adj. : nom et adjectif à la fois.
Or. : origine .
Syn. : synonyme .
V. : verbe .
V. act. : verbe actif .
V. pron. : verbe pronominal .

Nota bene

Il a malheureusement été impossible, dans le cadre limité de cet ouvrage, et sans lui donner la dimension d'un véritable dictionnaire, de donner systématiquement les traductions phonétiques des définitions ou des citations qu'on y trouve.

Cela aurait posé le problème de l'assimilation complète par le lecteur des codes de la phonétique, et compliqué la consultation d'autant.

De plus, pour faciliter la compréhension du lexique, il a été jugé plus prudent de citer certaines des tournures dans une orthographe plus académique, quitte à en diminuer le côté savoureux ...

Un exemple tout simple : au mot *balloune,* une phrase citée pour illustrer le mot va comme suit : « *Il est parti sur la balloune* ». Or, en langage courant, on ne prononce jamais ***sur la***, mais plutôt quelque chose qui ressemble vaguement à « sà-à » ou encore « suà »... Pas évident à transcrire, des trucs comme ça, et même en code phonétique!

Le contexte suffira souvent, voire **dans la plupart des cas**, à comprendre le <u>**sens**</u> de la phrase.

Ainsi, si quelqu'un parle de son frère qui n'est pas là, et que vous entendez « *Yé parti suà balloune !* », vous reconnaîtrez les mots ***parti*** et ***<u>balloune</u>***, et vous décoderez...

Il fallait choisir : simplicité d'un petit lexique limité dans son nombre de pages, à caractères assez gros et de présentation aérée, ou encore livre plus complet, mais aussi alors plus complexe et forcément plus volumineux, ce qui l'eût fait sortir du cadre fixé par l'auteur , c'est-à-dire celui d'un format de poche, facile à emporter dans ses balades à la découverte du pays cousin .

Le choix de la simplicité fut fait dans l'arbitraire le plus total , et totalement revendiqué !

A

comme dans

abrier...

A :
Remplace le pronom elle .
« *A veut pas...* » .
Voir le mot **elle** .

*

Abrier ou **abriller :**
Mettre à l'abri en couvrant d'une
toile , d'une tôle .
Abrier son bois avant la pluie .
S'abrier : se couvrir
d'une *couverte** , ou encore
d'un manteau , d'une veste .
« *Abrille-toi donc , tu vois
donc pas qu'on gèle ?* » .

*

Achalant (e) (n. et adj.) :
Dérangeant . Comme nom :
*« Lâche-moé don' , maudit
achalant ! »* . Comme adjectif :
Un gars plutôt achalant .
*

Achalé :
Dérangé , embêté . Sous la forme
de locution *pas achalé* ,
signifie être effronté :
*« T'es pas achalé , de m'déranger
quand j'travaille ! »* . Syn. : *avoir
du front* , ou *avoir du front
tout l'tour d'la tête* .
*

Achaler :
Déranger , embêter :
*« Maman , mon frère
m'achale sans arrêt »* .
*

Achigan (n.m.) :
Poisson carnassier d'eau douce
connu en France sous le nom
anglais de black-bass .
Or. : mot amérindien .
*

Accomodation (n.f.) :
Synonyme de *dépanneur* * .

*

Accoté (e) :
Qui vit en concubinage . « *Il est
accoté avec ma soeur* » . Inusité
comme substantif. Vous entendrez
rarement « *C'est un accoté* » .

*

Accoter :
1- *Accoter quelqu'un*
(un adversaire , un collègue) :
être aussi fort que lui .
2- (*S'*) *accoter* (v. pron .) :
aller vivre en concubinage .
3- *S'accoter* (v. pron .) :
s'appuyer sur quelque chose .

*

Accoucher :
« *Accouche , qu'on baptise !* » ou
« *Accouche !* » : Dépêche-toi !

*

Adon :
Hasard . « *Je l'ai vraiment
rencontrée par adon* » . « *C'est un
pur adon , j'te l'jure , j'savais pas
qu'c'était ta soeur* » . *Etre d'adon* :

être d'arrangement facile .
« J'ai essayé d'm'entendre avec les voisins , mais y sont pas d'adon » .

*

Adonner :

Arriver par un quelconque type de circonstance . *« Ca s'est adonné **de même***, *sans faire exprès , par hasard »* . *« J'voudrais y aller demain , mais ça adonne pas »* :
il faut entendre *je suis pas libre...*
S'adonner : s'entendre . *« Mon frère s'adonne avec personne , mais mon père s'adonne bien avec tout le monde ... »* .

*

Agace-pissette (n.f. et adj.) :

La *pissette** étant le sexe masculin , c'est donc une allumeuse...On dit aussi une *agace* . Ou , comme adjectif : *trop agace pour plaire aux garçons* (ou aux filles) .
Il arrive qu'on utilise ce terme en s'adressant à un homme , mais le mot reste féminin : *« Toé , Robert , t'es rien qu'une vraie agace... »* .
A noter qu'en pareil cas

-et ça va de soi- ,
on ne dit pas *agace-pissette* ...

*

Agrès (n.m.) :

Personne <u>vraiment</u> laide . *Un vrai agrès* . Qu'il s'agisse d'un homme ou d'une femme , ce mot est toujours masculin . Syn. : *crapet** .

*

Air :

1- *Air bête* (n.m. ou.f.) : personne qui a l'air maussade , méchant .
2- *Rester l'air bête* , ou *pogner l'air bête* : rester décontenancé . **3-** *Avoir l'air de rien* : d'apparence minable .

4- *Arriver* ou *s'avancer* , ou *se présenter l'air de rien* : faire mine de rien . **5-** *Faire de l'air* : s'en aller . **6-** *Avoir l'air colon** , *épais** , *fin** , *niaiseux** , *tarlat** , *teton** , etc . **7-** *Avoir l'air de...* suivi de n'importe quel verbe à l'infinitif : donner l'impression de... « *Eille ! T'as l'air de t'en aller !* » .
« *Non , j'reste !* » .

*

Allure :

Avoir ou ne *pas avoir d'allure* .
1- De bon sens . « *Mon frère a
pas d'allure... son idée a pas trop
d'allure...* » . 2- Une apparence
correcte ... ou pas . *Une robe qui
a pas trop d'allure* , ou *qui a ben
d'l'allure* .

*

Amanché :

Selon le contexte : arrangé , fabriqué ,
construit , préparé . *Mal amanché* :
pris dans une mauvaise situation ,
blessé , etc. Par dérision , on
l'exprime parfois à la forme positive :
« *Ouin , t'es ben amanché !* » .
Etre amanché (e) :
équipé (e) d'attributs physiques
imposants . « *Amanché (e) comme
ça ,   y a de quoi faire carrière
comme mannequin !* » .

*

Amancher   :

Déformation de emmancher .
1- Arranger , réparer un objet ,
« *Donne-moi ton moulinet , j'vas
essayer de l'amancher pour qu'y
fonctionne* » ou une situation .
« *Y veulent pas que tu viennes ?*

26

J'vas t'amancher ça pour qu'y
changent d'idée » .

*

Amanchure :
1- Situation . *Etre pris dans*
une drôle d'amanchure
2- Façon d'être habillé .
« *Y as-tu vu l'amanchure ?* » .

*

Amont (Adv. de lieu) :
Amont la côte :
en haut de la côte .

*

Annonce :
Publicité , sous n'importe quelle
forme . *Une annonce dans le journal* .
Au pluriel , en regardant la télévision ,
ou en écoutant la radio :
« *J'vas profiter des annonces*
pour aller aux toilettes » .

*

Arpent (N.m.) :
Ancienne mesure française de
longueur utilisée au 17ème siècle , et
qui a perduré au Québec . Valant 192
*pieds** , elle est encore usitée
dans les régions rurales .

*

Arracher (en) :
1- Avoir de la difficulté pour accomplir telle ou telle tâche .
« Pour réparer ça , j'sens que j'vas en arracher » .
2- Vivre une situation délicate ou difficile . *« Si tu lâches l'école trop jeune , t'as pas fini d'en arracher... »* .
*

Arrêt :
C'est le stop québécois ...
Pour protéger notre langue de l'invasion insidieuse de la langue anglaise (peut-être devrions-nous dire la langue des américains) , le gouvernement du Québec a créé une loi déclarant le français *seule langue officielle du Québec* . Tout affichage public doit donc se faire dans cette langue . L'exemple devant tout naturellement venir d'en haut , depuis l'avènement de cette loi tous les panneaux publics ont été francisés , faisant ainsi du Québec *le seul endroit du monde où les arrêts sont en français* .

Il est ironique de constater que la multinationale McDonald devant comme tout un chacun **respecter la loi** , celle-ci offre chez nous à son *service-au-volant* des *Mac poulets* , et *des hamburgers au fromage* , tandis qu'en France le *drive-in* offre *Mc chickens* et *cheeseburgers* !

*

Astie :
Sacre* .
(On prononce parfois *'stie*)
Prononciation déformée de *ostie**.

*

Astifie :
Sacre* . Prononciation déformée de *ostifie** (lui-même diminutif de *ostie**) . « *C'est un astifie d'imbécile !* » . « *Ah , mon astifie !* » .

*

Attifé (e) : (adj.)
Manière d'être habillé . S'emploie surtout sur un ton moqueur et dans une tournure négative . *Etre mal attifé* .

*

Attifer : (V. act. ou pron.)

Habiller d'une manière affreuse , avec
un manque de goût évident .
« *As-tu vu comment la voisine a
encore attifé ses enfants ?* » .
*

Ayoye :
Interjection marquant la
douleur , parfois l'admiration
ou la stupéfaction ,
équivalant du aïe français .

*   *
*

B comme dans

brimbale

****

Babiche (n.f.) :
Lanières de cuir avec lesquelles on
fabrique les raquettes , ou encore dont
on tresse les fonds de chaises . *De la
belle babiche . Des babiches de
différentes qualités* . Or. : mot
amérindien .

*

Babillard :
Tableau d'affichage . « *Regarde les
annonces sur le babillard* » .

*

Babine (s) :
Lèvre . *Des grosses babines* . « *Eille ,
les babines !* » : locution <u>très vulgaire</u>
pour interpeller une personne

31

de race noire .

*

Babouin :

Terme à connotation <u>fortement</u>
<u>péjorative</u> désignant une personne
de race noire .

*

Baboune :

Lèvre . *La baboune enflée* .
Faire la baboune : bouder .

*

Babouner :

Syn. de *faire la baboune* .

*

Babouneux (euse)
(n. et adj.) :

Personne qui a facilement
tendance à bouder .

*

Bâdrant (n. et adj.) :

Dérangeant . De *bâdrer** . *Une
situation bâdrante* . « *Ca , c'est
bâdrant* ! » . « Mon nouveau
voisin est pas trop bâdrant » .

*

Bâdrer :Déranger , embêter .

« *As-tu fini de m'bâdrer avec tes
histoires ?* » . Or. : de l'anglais

to bother , déranger .

*

Bain :

Baignoire. *Rester longtemps dans le bain , acheter un beau bain neuf* .

*

Balançoire :

Bien que le mot soit usité en Europe francophone , il pourra vous paraître étonnant qu'un couple de québécois vous propose de passer une partie de la soirée *dans la balançoire...* C'est que nous en avons un type inconnu chez vous , à 4 places , souvent couverte d'un petit toit ou d'une sorte d'auvent , et qui est plus destiné aux adultes qu'à servir de jeu aux enfants ...

*

Balle-molle :

Variante du baseball , se jouant avec un bâton et une balle plus lourds, donc plus lents .

*

Ballon-panier :

C'est ainsi qu'on nomme le basket-ball .

*

Ballon-volant :
Nom québécois du volley-ball .

*

Balloune (n.f.) :
1- Ballon de fête qu'on gonfle
avec la bouche , appelé en France
baudruche . 2- Cuite , saoûlerie .
Partir sur une (ou *sur la*) *balloune* .
« *Il est parti sur une balloune* » . 3-
En balloune : enceinte . « *Ma femme
est encore en balloune* » . *Partir pour
la balloune* : tomber enceinte . Syn.
de *en famille** . *Souffler la*
(ou *dans la*) *balloune* : subir le test
de l'ivressomètre . *Péter la balloune* :
échouer à l'ivressomètre .

*

Banc de neige :
seule terme utilisé pour désigner ce
qu'on appelle en France congère .

*

Baptême :
Sacre* .

*

Baquais , baquaise :
Personne obèse . Peut aussi servir à
interpeller <u>vulgairement</u> une
personne inconnue . « *Eille ,*

baquais , viens me voir ! » .

*

Bar :

Comme en France , un bar est un bar et on y boit de l'alcool ! Quelques nuances , cependant :

1- Il faut avoir **18 ans** pour y entrer .
2- On n'y trouve **pas de sirops** , comme en France . La notion de sirop mêlé à de l'eau , ou à de l'eau gazeuse est parfaitement inconnue au Québec…
3- **On n'y va pas pour boire un café.** Rares sont les bars qui en offrent , et s'ils le font c'est la plupart du temps du café filtre , que vous trouverez sûrement très léger. Il y a des exceptions , bien sûr. Si vous trouvez un bar portant le nom de bistro , il est possible qu'il s'y trouve une machine expresso mais sûrement pas dans la campagne profonde ! Pour le café , vous irez plutôt dans un *restaurant** Voir ce mot .
4-**Ils ferment tous à 3 heures du matin** , ce que permet la loi . En outre, le patron peut vous « endurer »

jusqu'à trois heures trente , ce qui vous permettra peut-être de dégriser un peu avant de reprendre la route .

5- Il existe aussi chez nous des bars de danseuses . Ce sont des serveuses , et en plus, elles dansent nues soit sur scène , et souvent devant votre table pour 5 ou 10 dollars la danse...

N.b. Pour des informations supplémentaires sur les bars , voir au mot *brasserie* .

*

Bar laitier :

Présent un peu partout chez nous , c'est ce qu'on appellerait plutôt en France un « glacier » , à la différence que sa saison d'exploitation est , vu notre climat vous le comprendrez , plutôt courte …

Notez surtout qu'ici on ne mange pas de glaces , mais de la crème glacée , qu'on appelle couramment par ailleurs « crèmaglace » … Mais alors , direz-vous , le mot glace* ? Voyez donc ce mot !

*

Barber :

Provoquer , en gestes ou en paroles . « *Maman , le voisin arrête pas de me barber !* » .

*

Barbotte (n.f.) :

Poisson d'eau douce à moustaches , à peau lisse et noire . Sa chair est très appréciée .

*

Bardasser :

Bousculer , brasser . *Se faire bardasser* par les joueurs adverses , par son professeur , par les cahots de la route . *Bardasser quelqu'un* .

*

Barguine :

1- Aubaine , occasion . « *A ce prix-là , c'est une vraie barguine* » . 2- Marchandise à bas prix . « *T'as vu ma chemise? Cinq dollars , une vraie barguine !* » . Or. : vieux français .

*

Barguiner :

Marchander , négocier un prix , ou un arrangement . Or. : vieux français .

Barguineux (euse) :
Personne qui essaie toujours de
négocier . Légèrement péjoratif
ou moqueur .

*

Barlot (n.m.) :
Type de voiture à cheval .

*

Barniques :
Lunettes . *Des barniques
de soleil* .

*

Barouette (n.f.) :
Brouette .

*

Barouetter (v. act . ou pron.) :
Faire aller à gauche et à droite .
*Barouetter quelqu'un d'un bureau
à l'autre* . *Se barouetter* :
se promener . De *barouette** .

*

Barré :
1- Fermé à clé . Vieille tournure
française , qui date de la lointaine
époque où l'on fermait une porte
avec une barre de bois .
Curieusement , si elle a disparu en

France à peu près complètement , elle est toujours employée au Québec, où elle est d'ailleurs **la seule façon** d'exprimer cette idée...
Vous n'entendrez jamais un québécois dire verrouiller , ou fermer à clé , et cela quel que soit son niveau social ou culturel .

2- Limité . *Un moteur barré* . 3- *Pas barré (e)* ou *pas barré à quarante* personne qui n'a pas beaucoup de limites , effronté . « *Ton frère est pas barré , y m'a offert 200 dollars pour mon vieux vélo !* » .

*

Barrer :
Fermer à clé . *Barrer la maison , le char** . (Lire la remarque au mot *barré**) .

*

Bas :
Toute chaussette , haute ou basse , autant pour homme que pour femme . *Bas-culotte* : collant pour femme . *Manger ses bas* : être au désespoir , ou enragé .

*

Bascule (n.f.) :

Donner la bascule . Tradition qui consiste à saisir une personne dont c'est la *fête** par les pieds et les mains, (sans toutefois les lâcher) et à la faire sauter en l'air en comptant les années à voix haute , « Un ! , deux ! , trois ! » ... chaque fois qu'elle arrive en haut .

*

Bâtard :
Sacre*

*

Baver :
Provoquer , insulter .

*

Bavette (n.f.) :
En France , on dit bavoir .

*

Baveux (n. et adj.) :
Provocateur .

*

Bazou :
Automobile . *Un sacré bazou , un vieux bazou , un beau bazou* .

*

Beau dommage ! :

Locution signifiant sans aucun doute ,
sûrement. « *Beau dommage , que
j'vas aller au magasin avec ma
mère !* » . (Vous voilà enfin renseigné
sur la signification du nom de ce
fameux groupe québécois qui a chanté
« *La complainte du phoque
en Alaska* ») .

*

Bebelle ou bébelle (n.f.) :
1- Jouet .
« *Père Noël , père Noël , apporte
des bébelles* » : chanson populaire
qu'on fait chanter aux enfants...
2-Chose de peu de valeur . « *C'est
rien que des bébelles , dans ce
magasin-là ...*» . La locution
« *Tes bébelles , pis dans ta cour !* »
signifie mêle-toi de tes affaires .

*

Bebitte ou bébitte :
1 - Tout insecte . 2 - Petit animal .
« *Y a toutes sortes de bébittes qui
courent autour du chalet* » .
3 - Avoir *des bébittes dans la tête* ,
être mentalement dérangé . 4 -

Attraper des bébittes , contracter une maladie vénérienne .

*

Bec :

Baiser . Généralement sur la bouche , sauf si on précise *bec sur la joue* . <u>Ne soyez pas surpris de voir des amis ou des beaux-frères et belles-soeurs s'embrasser sur la bouche !</u>

Mais remarquez bien que ce sera *toujours* selon la règle suivante :

1- Jamais 2 femmes ne s'embrassent sur la bouche, même les amies les plus intimes, **sauf si elles sont homosexuelles.**

2- Même remarque pour les hommes , bien sûr, mais, de plus : **jamais deux hommes ne se font la bise**, comme en France , et cela **même entre frères, ou entre père et fils**. Deux hommes vus à se faire la bise sont presqu'à coup sûr des homosexuels. **Evitez donc, si vous êtes un homme, de faire la bise à un québécois, même si vous êtes devenus très amis à la fin de votre séjour. Non seulement vous risquez de passer pour ce que vous n'êtes peut-être pas, mais de plus vous risquez éventuellement de recevoir une bonne tape sur la margoulette... Par contre, si vous êtes**

homosexuel, assurez-vous que la personne le soit aussi, sinon le risque est le même...

3- Un homme et une femme peuvent s'embrasser sur la bouche , **s'ils sont très proches** (par exemple des amis intimes, un beau-frère et une belle-soeur ou même parfois un frère et une soeur) et cela sans aucune connotation sexuelle. Au Jour de l'An, par exemple, un cousin peut donner un bec à sa cousine, ou à sa tante... A la fin de vos vacances , un (e) québécois (e) vous dira peut-être : « *Chu tellement content de t'avoir connu (e) , que j'ai envie de t'donner un gros bec !* » . Pourquoi refuseriez-vous ?

Bec à pincettes : bec sur la bouche , en se pinçant mutuellement les joues. (Mais jamais entre deux femmes ou entre deux hommes, comme expliqué ci-dessus). *Bec mouillé* : gros bec humide sur la bouche . *P'tit bec sucré* : façon mignonne d'exprimer un *p'tit bec* qui fait plaisir ...

*

Bécik :

Prononciation courante de bicycle (bicyclette) . *Bécik à pédales* .
Bécik à trois roues : tricycle .
Bécik à gaz : motocyclette .

Bécosses :

Toilettes . De l'anglais back-house
(littéralement *la maison derrière* ,
ou petite cabane derrière la maison ,
où l'on va faire ses besoins) .
Quand on parle de la cabane en
elle-même, on dit plutôt __la__ *bécosse* .

*

Bédaine :

Bedaine , ventre . *1- Une grosse*
bédaine pendante , faire de la
bédaine , bédaine de bière .
2- Se promener en bédaine
ou *la bédaine à l'air* : torse nu .
3- *Police à bédaine* : expression qui
remonte au début du siècle, où pour
s'engager dans la police, il fallait non
pas des diplômes, ou un esprit très fin,
mais plutôt une grosse corpulence...

*

Beigne (n.m.) :

1- Pâtisserie appelée en France
beignet . *Des beignes aux pommes* .
2- Simple d'esprit .

*

Beignet :
Simple d'esprit .

Beluet :

Prononciation courante de *bleuet** .
On prononce parfois le « t » final .
Il ne s'agit pas ici d'une fleur , mais
du fruit appelé en France myrtille !
Tarte aux beluets .

*

Ben (adv.) :

Bien . Souvent suivi de *que trop*
pour remplacer beaucoup trop :
« *T'es ben qu'trop poli* » .

*

Besson (n.m.) :

Jumeau . *Avoir des bessons* .

*

Bêta (n. m. et f.) :

Personne qui a mauvais caractère ,
malcommode . Ne s'emploie pas ,
comme en France , dans le sens de
personne simple d'esprit .

*

Bête (adj.) :

Qui a un sale caractère , qui parle de
façon désagréable . « *Faut renvoyer
la serveuse , elle est trop bête avec
les clients !* » . On dit aussi *un*
(ou *une*) <u>air bête</u> .

*

Bête puante :

Autre nom de la *mouffette** .

*

Bêtises :

Insultes . *Chanter des bêtises* à quelqu'un . *Envoyer une lettre de bêtises. Recevoir une poignée, un tas, de bêtises* .

*

Beû :

1- Boeuf . Comme dans le patois de plusieurs régions de France .

2- Policier . « *Attention , v'là un char* de beûs !* » . Equivalent du <u>poulet</u> français . Syn. : *chien** .

3- Sur un véhicule à transmission automatique , vitesse la plus basse ou 1ère vitesse . « *La côte est trop raide , mets-toi sur le beû !* » .

*

Beurrée :

Tartine . *Une bonne beurrée de confitures .Beurrée de beurre*: comme le mot tartine n'est pas employé au Québec, c'est ainsi qu'on désigne la tartine de beurre ...qui se fait toujours

avec du beurre salé , le seul qui soit
couramment utilisé.. .

*

Bicycle (n.m.) :

Bicyclette . Plus souvent prononcé
bécik .

*

Bienvenue ! :

Ne soyez pas étonnés , mais plus
souvent qu'autrement , c'est cette
formule de politesse , plutôt que
« de rien » , qu'on vous servira ,
quand vous direz merci...

*

Binnes :

1- Aussi appelées *fèves au lard** :
mets constitué de haricots dans une
sauce pouvant être aux tomates ,
à la mélasse , etc .Toujours employé
au pluriel . Or. : de l'anglais beans .
*Avoir les yeux dans la graisse de
binnes* : être en extase , les yeux dans
le vide... *Rond comme une binne* :
saoûl . 2- Au singulier une *binne*
est un petit coup de poing sec que
l'on porte soit pour taquiner ,
soit pour faire mal .

*

Bizoune (n.f.) :
Organe sexuel
masculin ou féminin .
*

Bizouner :
1- Faire des choses de peu
d'importance . 2- Tourner en rond en
ne sachant pas quoi faire .
*

Blé d'Inde :
Nom québécois du maïs .

L'épluchette de blé-d'Inde :

Fête pendant laquelle les participants épluchent des épis , le premier homme trouvant un épi aux grains rouges devenant le roi de la soirée , et la première femme la reine. Une autre version du jeu : chaque fois qu'un homme tombe sur un épi de couleur, il peut donner un *bec** à la femme de son choix , et la femme à un homme...
On fait ensuite bouillir tous les épis , qu'on mangera après les avoir frottés sur une livre de beurre , et salés .

*

Bleu :
1- Fâché . *Devenir bleu , être bleu .*

« J'étais bleu , quand j'me suis aperçu qu'y m'avait volé ! » .

Tomber dans les bleus , ou *pogner* les bleus* : tomber dans une grosse colère . **2-** *Avoir les bleus* : se sentir triste , déprimé . « Tu vas pas bien ?   -Non , j'ai les bleus... » .

*

Bleuet :

1- Myrtille . **2-** Surnom des habitants de la région Saguenay-Lac St-Jean , où l'on trouve ce fruit en importante quantité .

*

Bloc :

Tête . *Un gros mal de bloc* .
Bloc appartements : immeuble d'habitation .

*

Blonde :

Petite amie , amoureuse .
« Viens , que j'te présente ma nouvelle blonde ! » .

*

Blôque (n. m. et fém.) :

Anglais . *Une famille de blôques* .

*

Bobettes (n. f.) :

Petites culottes . Généralement au pluriel . Expression typique du Saguenay-Lac St-Jean .
Des bobettes neuves .

*

Boire :

Consommer beaucoup de carburant . « *J'vas sûrement changer d' camion , y boit trop...* » .

*

Boisson :

Toute boisson alcoolisée , <u>à l'exception de la bière</u> . Si vous offrez un rhum à quelqu'un et qu'il répond « *Non merci , j'prends jamais d'boisson !* » , il continuera peut-être sa phrase ainsi : « *...mais j'prendrais bien une bière* » . On dit aussi *boisson forte* en parlant des alcools comme le gin , le whiskey , etc . En général , quand on parle de ce qui se boit , on dira plutôt un *breuvage** . « *Avec votre ragoût , qu'est-ce que vous allez prendre comme breuvage?* » . Vous entendrez *prendre de la boisson* , en parlant de consommer des boissons alcoolisées .
En boisson : en état d'ivresse .

Boisson gazeuse : boisson de type Seven-Up (que vous appelez en France limonade), ou Coke (Coca-cola) . Il en existe plusieurs variétés inconnues en France : *orangeade* , *bière d'épinette* , *racinette* , etc.

*

Boîte :

1- Bouche « *Ferme-la donc , ta maudite boîte !* » . **2-** Nom donné à ce qu'on appelle en France un carton . « *Quand j'ai déménagé , j'avais rempli 50 boîtes* » . **3-** *Boîte à chansons* . Lieu où l'on va écouter des chanteurs, ceux-ci s'accompagnant le plus souvent à la guitare . On ne dit pas aller en boîte , mais passer la soirée *dans* une boîte . Notez de plus que le mot n'est **jamais** employé dans le sens de discothèques, qui de toute façon n'existent pratiquement plus au Québec, cette mode ayant trépassé depuis de nombreuses années... (Voir encadré ***Boîte à chansons***). **4-** *Boîte à malle* : boîte à lettres , que

ce soit celle où l'on poste des lettres ,
ou celle où on la reçoit .

**Boîte à *chansons* ,
ou boîte *d'animation,* petite
histoire d'une polémique...**

Pour un québécois de plus de 35 ans,
Félix Leclerc, Brel, Vigneault ou
encore Brassens ont toujours été des
chansonniers ! Par conséquent, une
véritable boîte à chansons ne saurait
être qu'un endroit où l'on ira
religieusement écouter un auteur-
compositeur...

Seulement voilà : beaucoup des
patrons de ces boîtes d'autrefois,
ayant avec perspicacité noté que les
chansonniers les plus rythmés
faisaient vendre plus de bière (quand
on tape dans les mains on a chaud!),
ont transformé petit à petit leurs boîtes
en antres du brassage de public...
Tandis qu'une nouvelle vague
d'interprètes plus ou moins talentueux
torturant leurs guitares sur quatre
accords montait, celle des
chansonniers véritables a commencé
à chercher du travail ailleurs...et
souvent carrément dans un autre
métier ! Malheureusement les croque-
notes d'aujourd'hui entretiennent la
confusion en se qualifiant encore de
chansonniers...

*

Bol de toilette :
Appelé en France la cuvette .
Parfois employé au féminin .
(*La bolle de toilette*) .

*

Bolle (n.f.) :
Personne très intelligente . Cette
expression est surtout employée dans
le milieu scolaire , par les jeunes .
« *Mon frère , c'est une bolle* » .

*

Bollé (e) (n. et adj.) :
Etre un (e) bollé (e) , ou *être
bollé (e)* : être une *bolle** .

*

Bombe :
Bouilloire .
Syn . : *canard ** .

*

Bonjour :
On le dit en arrivant , mais aussi en
repartant …

*

Bon-yenne :
Sacre*

*

Bon-yeu :

Sacre* . Déformation de bon dieu .

*

Bord :

Côté . On ne dit jamais se retourner, ou changer de côté, mais *virer* ou *r'viver de bord* . « *J'me suis viré de bord et pis j' l'ai aperçu* » .
« *Vire-toi de bord, j'veux voir ton dos ...* » . « *Tu cours jusqu'au poteau, tu te r'vires de bord, pis tu r'viens jusqu'au trottoir...* » . *Virer* ou *r'virer de bord* : changer d'orientation sexuelle . *Prendre le bord* : s'en aller .

*

Bordée :

Une grosse quantité . « *On a reçu une belle bordée de neige* » .

*

Botte :

Relation sexuelle (vulgaire) . *Une bonne botte* . En France on dit : un bon coup . En patois normand , on peut entendre : proposer *la* botte à qq'un . *Saoûl comme une botte* : ivre mort .

*

Botterlots (n.m.) :

Grosses bottes de travail , pour l'hiver . Rarement employé au singulier . *Des beaux botterlots* .

*

Bottine :

Patiner sur la bottine: ne pas pouvoir se tenir droit sur ses patins . *Faire de l'esprit de bottine* : pratiquer un humour de bas niveau .

*

Boucane :

Synonyme de fumée . Aussi employé pour désigner un gros nuage de vapeur . *Feu de boucane :* feu qui produit beaucoup de fumée , mais peu de flammes . *Faire de la boucane* : syn. de boucaner* .

*

Boucané :

Fumé . *Poisson boucané , viande boucanée* .

*

Boucaner :

1- Fumer . *Boucaner de la viande* .
2- Fulminer . « *Quand mon patron m'a dit qu'y voulait me renvoyer , j'boucanais !* » . Syn. en ce sens : *bouillir** .

*

Bouette :
Synonyme de boue .
Marcher dans la *bouette* .
*

Bougrine (n.f.) :
Appellation courante pour n'importe
quel manteau d'hiver .
*

Bougriner (se) :
Mettre son manteau .
*

Bouillir :
Fulminer . Syn. : *boucaner** .
*

Boules :
Seins (vulgaire) . « *Ta soeur
a des belles boules* » .
*

Boutte :
Prononciation courante de bout .
1- *Le boutte du boutte* : peut signifier
le summum , ou la pire situation .
2- *C'est au boutte !* : formidable .
3- *C'est l'boutte* : c'est incroyable .
4- *Etre arrivé au boutte* ou *être au
boutte* : être épuisé .
*

Brailler :
Pleurer .

*

Branché :
Décidé . *Etre ou ne pas être branché* .
Pas branché : pas sûr de son
orientation sexuelle .

*

Brancher (se) :
Se décider . « *Quand est-ce
que tu vas te brancher?* » .

*

Branler (v. act. ou pron.) :
**Aucune connotation sexuelle
au Québec** . Signifie **1-** A la forme
pronominale : bouger en se
balançant . Ne vous étonnez donc pas
d'entendre quelqu'un dire que sa
grand-mère passe ses journées
à *se branler dans sa chaise berçante*
au bord de la fenêtre
de la cuisine... **2-** Forme active :
Branler la jambe , le bras , etc . :
bouger en un mouvement de balancier
(lent) ou en faisant trembloter
rapidement . S'il s'agit d'un objet ,
vous entendrez peut être : *faire
branler une lampe , une table , etc.*

3- *Branler dans le manche* : ne pas se décider . « *Essaie de venir au chalet, arrête de branler dans le manche* » .

4- Manifester une lenteur indue , fonctionner au ralenti . « *J'ai jamais vu quelqu'un branler comme ça , j'pense que ça y a pris une heure pour nettoyer la chambre !* » .

*

Branleux (euse) (n. et adj.) :
1- Personne qui hésite longuement avant de se décider . 2- Personne qui fait traîner les choses en longueur .
3- Paresseux .

*

Brasserie :
Débit de boisson fermant à une heure du matin , spécialement dédié à la vente de bières en fût . On peut y manger , ou simplement y boire un café .

*

Brassière :
Soutien-gorge .

*

Breuvage :
Boissons en général .
Au restaurant , on vous dira :

« Qu'est-ce que vous voulez
comme breuvage ? » .

*

Brimbale (n.f.) :
Spécialement conçue pour la pêche
sur la glace , elle est constituée de
deux parties en bois . La première
constitue à proprement parler la
canne à pêche :   elle sert de dévidoir
pour le fil et elle est posée sur la
seconde , plantée dans la neige ,
près du trou .

*

Broche :
Fil de fer . *De la broche*
à clôture .

*

Brosse :
Cuite , saoûlerie . *Partir*
sur la brosse , être sur la brosse ,
prendre une brosse .

*

Broue :
Bière. *Se taper une bonne broue.* On
en boit beaucoup et souvent , parfois
tout au long du repas, et il existe deux
formats, la *petite* et la *gross* . Les
marques courantes : Molson,

Laurentides, O'Keefe, 5 0, Bleue,
etc. La Molson est familièrement
appelée la *Mol* . Si on vous offre *une
grosse Mol*, n'allez pas imaginer qu'il
s'agit d'une obèse à la poitrine
tombante..

*

Brulôt :

Petit insecte vorace ,   que l'on ne
vous souhaite pas de rencontrer...

*

Brun :

On n'utilise *jamais* le mot marron .
On dit brun pâle , brun foncé .

*

Bûche :

Siège . L'expression *se tirer une
bûche* , signifie se prendre un siège ,
« *Te v'là ! Tire-toi une bûche !* » .

C comme

dans

crapet...

*

Cabane :
1- Maison . *Une belle cabane, une vieille cabane* . **2-** *Cabane à sucre* : située dans une *érablière**, on y fabrique tous les produits dérivés de l'érable . **3-** *Cabane de pêche* : on la transporte sur la glace pour pêcher, soit avec des *brimbales** placées à l'extérieur, soit directement à l'intérieur par un trou pratiqué dans le plancher de la cabane , et qui surplombe un trou de mêmes dimensions percé dans la glace . **4-** « *Pas d'chicane dans la cabane !* » : Je ne veux pas d'histoires chez moi !

*

Cailler :

Tomber de sommeil . « *Y caillait sur sa chaise* » .

*

Caler :

1- Couler , s'enfoncer dans l'eau . « *Y a eu tellement de pluie que ma chaloupe s'est rempli , pis ensuite alla calé* » . **2-** S'embourber . *Caler dans la neige, dans la boue* .
3- Se débarrasser de ses glaces, au printemps, en parlant d'un lac ou d'une rivière . « *Si y continue à faire chaud toute la semaine, c'est sûr qu'les lacs vont caler avant dimanche...* » . **4-** Perdre ses cheveux, faire de la calvitie . « *Tu t'laisses pousser les ch'veux pour camoufler qu'tu cales ?* » .

*

Câlisse :

Sacre* .

*

Câlissement (adv.) :

Sacre* . Fortement .

*

Canard :

Bouilloire . Syn. : *bombe** .

*

Cancer :

Vieille auto .
Se promener dans un cancer .

*

Canne :

Jambe . *Une belle paire de cannes* .

*

Cant (n.m.) :

1- Déformation de chant , dans le sens
de côté le plus étroit d'une pièce d'un
quelconque matériau . « *Pose la
planche su' l'cant !* » . **2-** *Etre sur
le cant* : dormir .

*

Canté (n. et adj.) :

1- Penché , incliné. **2-** *Etre canté* :
être couché pour dormir .

*

Canter :

1- Pencher , incliner , mettre de
travers . **2-** Se coucher pour
dormir . **3-** Avoir sommeil .
Canter sur sa chaise .

*

Capine (n.f.) :

Terme générique pour chapeau,
bonnet, ou même capuchon .
Or. : probablement déformation
de capeline .

*

Capoté (e) (n. et adj.) :
Fou , débile .

*

Capoter :
Devenir fou, perdre la tête .

*

Caribou :
1- Nom québécois du renne . **2-**
Boisson faite d'un mélange d'alcool,
de vin et de sirop d'érable .

*

Cartable : Cahier à anneaux . Ne pas
confondre avec le *sac d'école** ,
appelé en France cartable .

*

Carton :
1- Matière dont on fabrique des
boîtes, ou des pancartes . (On dit *du
carton* , *des boîtes en carton*) . Notez
que pour désigner ces boîtes, on ne dit
jamais <u>des cartons</u>, comme en
France. Si vous demandez à un
commerçant un carton, il répondra

sûrement « *Un carton de quoi ?* ».
Carton de cigarettes : cartouche . Les
mots bristol et canson sont inconnus
au Québec .

*

Cassé (e) :

Fauché, sans le sou . *Cassé comme un
clou :* fauché comme les blés .

*

Casseau :

Petit récipient carré ou rectangulaire .
Un casseau de fraises . Le mot
barquette est inconnu chez nous .

*

Cassure :

Urgence : « *Prends ton temps , c'est
pas une cassure !* » ou « *y a pas
d'cassure !* » .

*

Cenne (n.f.) :

Seule prononciation de cent
(phonétiquement : senn-te) , la
centième partie du dollar . *Acheter
un timbre à 50 cennes* .

*

Chaise berçante :

Appelée en France rocking-chair (!) .
On dit aussi *une berçante* ,
parfois *une berceuse* .

*

Change (du) :

Monnaie. *Avoir une grosse poignée
de change dans les poches . Aller
demander du change au magasin .*
« *S'cuse-moi , est-ce que tu pourrais
m'donner du chang , s'il-te-plaît ?* » .
On dit aussi *du p'tit change. Prendre
tout son p'tit change* : arriver à
quelque chose de peine et de misère ,
y mettre ses dernières ressources :
« *Pour finir la course , ça va
sûrement y prendre tout son p'tit
change...* » .

*

Char :

Automobile . *Un beau char neuf* .
Ne s'applique pas aux camionnettes .

*

Châssis :

Fenêtre . *Passer ses journées à
regarder par le châssis . Entrer en
passant par le châssis* . On dira
cependant généralement *une maison
avec quatre fenêtres* , et non

avec quatre châssis .

*

Chaudière :
Seau .

*

Chaudiérée :
Le contenu d'une *chaudière**.
Une chaudiérée d'eau .
Au figuré : *une chaudiérée
d'insultes , de bêtises** .

*

Chialer :
Se plaindre . <u>Ne s'utilise pas</u>
dans le sens de pleurer .

*

Chicoutai :
Fruit des régions nordiques du
Québec , appelé aussi plaquebière. De
la taille d'une framboise , la plante fait
partie de la famille des rosacées.
On en tire une liqueur du même nom
(marque déposée) .

*

Chien :
1- Policier . Syn. : *beû**. **2-** Insulte .
Souvent sous la forme de « *chien
sale !* , ou *maudit chien sale !* » .

*

Chieux (euse) :
Peureux .

*

Chnolle ou **shnolle (n.f.) :**
Testicule . *Un coup dans les...*

*

Chnoutte :
Merde. *Marcher dans la chnoutte . Se retrouver dans la chnoutte.*
Interjection : « *Chnoutte !* » .

*

Chopine (n.f.) :
Demi-pinte . Voir <u>mesures</u> .

*

Choqué :
Fâché . *Choqué noir* : très fâché .
On ne dit **jamais** être choqué dans le sens d'avoir été surpris , ou d'avoir eu un choc émotionnel .

*

Choquer :
Fâcher . *Se choquer* : se fâcher. *Faire choquer quelqu'un* : le faire fâcher.

*

Ciboire ou **cibouère :**
Sacre* .

*

Clencher :

1- Bien fermer . *Clencher la porte* . **2-** Donner le plein pouvoir à un appareil , une machine. En bateau , par exemple: « *Tiens-toi bien , j'vas clencher !* » . « *Y tourne pas assez vite , ton outil ! Vas-y , clenche !* » . **3-** Se donner au maximum : « *Rendus en haut de l'piste de ski , j'l'ai r'gardé dans les yeux pis j'y ai dit : clenche!* » .

*

Cocron :
Petit endroit exigu , minuscule appartement , endroit minable . *Vivre dans un cocron* .

*

Confitures :
On ne dit jamais **de** , mais <u>aux</u> fraises , <u>aux</u> bleuets .

*

Coton :
1- *Coton ouaté* : nom québécois de cette matière dont on fabrique les chandails appelés en France sweatshirts . **2-** Le chandail lui-même. *S'acheter un beau coton ouaté* . **3-** *Au coton* : extenué . Un coureur qui est *au coton* ne pourra peut-être pas finir

la course . **4-** *Y aller au coton* : au maximum de ses capacités . **5- Prendre quelqu'un pour un coton** : pour un reste , un moins que rien . « *Tu m'prends encore pour un coton...* » . **6-** *Etre un coton* : un oublié , un reste . « *Si tu donnes du café à tout le monde , oublies-moi pas, chu pas un coton !* » .

*

Coulant (e) :
Glissant , en parlant des routes . Verglacé .

*

Couple (n.f.) :
Deux ou trois : *une couple de jours , de fois , d'outils* .

*

Couvert :
Couvercle d'un bocal, d'un pot, d'une boîte . Notez que vous n'entendrez jamais ce mot pour qualifier fourchettes, couteaux, qu'on appelle *ustensiles** . Or. : mot de vieux français .

*

Couverte :
Couverture . *Une couverte en laine* .

Couverture :

La toiture d'une maison .
Refaire sa couverture .

*

Crapet :

1- Poisson carnassier d'eau douce
dont il existe deux variétés : le
crapet de roche et le *crapet-soleil* .
2- Personne <u>vraiment</u> laide . *Un vrai
crapet* . Qu'il s'agisse d'un homme ou
d'une femme, ce mot est toujours
masculin. Syn. : *agrès** .

*

Cretons (n. m. plur .) :

Sorte de terrine au porc, qu'on
pourrait qualifier de rillettes
québécoises , souvent mangées le
matin au déjeuner, ou en sandwich.

*

Crinqué (e) :

Remonté .

*

Crinquer :

1- Remonter avec une manivelle, une
clé, sa montre, son horloge . **2-** Tirer
sur une corde pour démarrer un

moteur hors-bord , une tondeuse . **3-**
Crinquer quelqu'un : l'agacer,
le provoquer .

*

Croche (n. et adj.) :
1- adj .: de travers , penché , incliné .
Un mur, une maison croche .   **2-** n.
et adj . : malhonnête, retors . *Un(e)*
croche de la pire espèce . *Trop*
croche pour avouer la vérité . **3-**
Virage , courbe (n.m.) . *Une route*
pleine de croches .

*

Crosse (n.f.) :
1- Masturbation . *Se faire une crosse* .
2- Manigance , tromperie ,
opération douteuse, malhonnête .
Faire une crosse à quelqu'un . *Se*
faire faire une crosse .

*

Crosser :
1- Masturber . **2-** Voler , tromper .
Crosser un client . *Se faire crosser* .

*

Crossette (n.f.) :
Masturbation . En France, on
l'appelle branlette .

D

comme dans
débougriner...

*

Débarbouillette :
Le gant de toilette est inconnu
chez nous . Il nous apparaît même
bizarre que vous l'appeliez ainsi ,
puisqu'il ne comporte pas de doigts !
On utilise chez nous un carré de
tissu , et on lui a inventé ce nom...

*

Débarque (n.f.) :
Chute . On dit *prendre une débarque* .

*

Débarquer :
Descendre de voiture, de bateau ,
de vélo, d'avion, de cheval .

*

73

Débougriner :
Se débougriner : enlever sa veste ,
son manteau . « *Débougrine-toé!* » .

*

Décâlissé (e) :
Sacre* . **1-** S'il s'agit d'un objet :
démoli, défait, brisé . **2-** D'une
personne : déprimé, fatigué .

*

Décâlisser :
Sacre* . 1- Briser . 2- Déguerpir,
fuir. Syn. : *Décrisser** .

*

Décrisser :
Sacre* . Syn. de *décâlisser* .

*

Déflaboxé :
Syn. de *décâlissé** .

*

Dégrayer :
Syn . de *débougriner** .

*

Déjeuner :
Repas du matin .

*

De même :
Comme ça . « *C'est pas possible
de s'habiller de même !* » .

Demiard :

Quart de *pinte* . Voir **mesures** .

*

Déniaiser :

1- Dépuceler . *Déniaiser une fille, se faire déniaiser* . **2**- Découvrir (ou se faire apprendre) les choses de la vie ou encore les secrets d'un travail ou d'une quelconque activité (Pron .) .

*

Dépanneur :

Magasin ouvert souvent très tard, ou même 24 h/24, et où on peut trouver un peu de tout : cigarettes, journaux, médicaments, épicerie, quincaillerie, et même souvent de l'essence .
Jamais dans le sens de dépannage automobile.

*

Dépasser :

Doubler . *Dépasser un camion* .

*

De quoi :

Quelque chose . « *As-tu de quoi à me donner ?* » .

*

Déviarger :

Dépuceler .

*

Dîner :
Repas du midi .

*

Doré :
Nom québécois du sandre .

*

Drette :
Droit . *A gauche ou à drette* .

comme dans

*

Ecarté :
Qui a perdu son chemin . « *Peux-tu m'aider, chu complètement écarté ?* ».

*

Ecarter (v. act. et pron.) :
Perdre, se perdre. Forme active : perdre quelqu'un en cours de route. «*Y m'avait suivi , mais j'l'ai écarté en chemin...* » , « *J'ai écarté mes clefs* » . Forme pron. : « *Quoi ? Tu t'es encore écarté ?* » .

*

Ecartiller (v.act. ou pron.) :

Eloigner deux objets *(écartiller les rideaux)*, ou deux membres (s'*écartiller les jambes*).

*

Ecoeurant (e) :
Salaud , personne malhonnête .

*

Ecoeurer :
1- Provoquer , faire chier .
Syn. : *baver** .

*

Ecrapouti :
Ecrasé . *Des fruits tout écrapoutis au fond du sac* .

*

Ecrapoutir :
Ecraser . Syn . : *effoirer** .

*

Efface (n.f.) :
Seul mot pour désigner ce que vous appelez gomme à effacer . Au Québec la gomme se mâche, mais n'est pas un article de papeterie .

*

Effoirer (v. act. et .pron.) :
1- Ecraser , en parlant d'un objet .
Syn . : *écrapoutir** . *Se faire effoirer*

2- *S'effoirer* : se laisser tomber mollement, s'écraser (sur un fauteuil, un lit, une chaise) .

*

Eille ! :

Interjection servant à appeler quelqu'un de façon très familière , « *Eille, le gros ! Viens donc me voir* » (en France: hé !) . Peut aussi exprimer la stupéfaction : « *Eille , c'est pas mal beau !* » .

*

Elle :

Ce pronom est sujet à des règles d'utilisation plutôt complexes.

En général remplacé par « a », il redevient *y* au féminin pluriel (comme le *il* québécois). « *Ma fille, a veut* (prononcer aveu) *aller danser, mais ses deux cousines y veulent pas y aller...* ». S'il précède un verbe commençant par une voyelle , on revient à la forme *alle*, prononciation déformée de *elle*. « *Alle ira pas boire, alle aura pas soif, avec c'qu'alle a déjà bu* » (*A lirâpâ / Alorâpâ / alâ....bu*) . Il est à noter qu'en langage courant , curieusement , la forme *eux* (comme au masculin pluriel) est

79

généralement utilisée quand le pronom doit suivre l'adverbe *chez*, et ce au singulier comme au pluriel . « *Après le film , alle est allée* (àlétàlé) *prendre une marche , alle avait pas* (àlàvàpâ) *envie de rentrer tout de suite chez eux* » (chézeu) (comprendre *chez elle*) ou « *Les femmes sont r'parties chez eux* » (il faut comprendre *chez elles*). On dit aussi *èè-t-allée...* (è allongé) . Dans certaines phrases, *a* suit *elle* : « *Elle ? A voudra pas venir !* » . Jamais on ne prononcera deux fois de suite *a* . Par exemple : « *A veut pas venir , elle ?* » .

*

Embarquer :

Monter . On dit *embarquer **dans** un char*, ***dans** un avion*, ***dans** un bateau*, ***sur** un bécik* *, ***sur** un cheval*, etc.

*

Enfarger :

1- *Enfarger quelqu'un* : lui faire un croc-en-jambe . **2-** *S'enfarger* : se prendre les pieds dans quelque chose .

*

Enfirouâper :

Manipuler , monter en bateau ,
emberlificoter . « *J'me suis encore fait
enfirouâper par le vendeur...pis j'ai
signé un contrat...* » .Or. :
probablement de l'anglais **in fur
wrapped**... enveloppé dans de la
fourrure , emballé . Autrement dit ,
on s'est fait avoir...

*

Epais (aisse) :
Sot , niais . *Epais dans l'plus
mince* : très épais . Parenté évidente
avec le « il en tient une couche »
français …

*

Epluchette :
voir *blé d'Inde* .

*

Erablière :
Forêt d'érables . Aussi courante au
Québec qu'une chênaie en France...

*   *   *
* *
*

F

comme dans

foufoune

*

Falle :

Poitrine, gorge . *Avoir la falle à l'air* : porter un grand décolleté, ou avoir la chemise grande ouverte .

*

Famille (en) :

Enceinte . Syn. : *en balloune** .

*

Farlouche ou ferlouche (n.f.) :

Mélange sucré contenant des raisins secs , dont on fait des tartes .
Tarte à la farlouche .

*

Feluet (ette) :

Personne au physique délicat .
Déformation de fluet .

*

Fête :

Anniversaire de naissance . On n'utilise pas le mot anniversaire, mais on dit *bonne fête !* La fête (au sens français de st-Truc le xx juillet) est une notion inexistante chez nous, les noms de saints n'étant jamais inscrits sur les calendriers...

*

Fève :
1- Haricot . On dit aussi souvent *des p'tites fèves vertes*...(ou jaunes) .
2- Fèves au lard : voir *binnes** .

*

Fife ou **fifi (n.m.) :**
Homosexuel .

*

Flo (n.m.) :
Enfant . « *Ma soeur a quatre flos* » .
Or. : serait une déformation de fléau .
Surout typique des régions du Saguenay-Lac St-Jean et de Charlevoix , a tendance à se répandre partout au Québec depuis quelques années...

*

Floppée :
Une grande quantité . *Une floppée d'enfants , d'insultes , d'outils* .

*

Flux :
Diarrhée . *Avoir le flux* .
*

Foin :
Argent . *Manquer de foin* .
*

Forçant (e) :
Qui demande un gros effort .
Un travail forçant .
*

Forcer :
Fournir un gros effort .
*

Fortiller :
Ne pas tenir en place ,
grouiller d'impatience .
*

Foufoune :
Fesse.
*

Fouineux (euse) :
Qui met son nez partout ,
se mêle de ce qui ne le regarde pas .
*

Frais (fraîche)
ou frais-chié (n.m. et f.) :
Personne prétentieuse , hautaine .

*

Frette :
Froid .
*

Froidure (la) :
Le froid .
*

Front :
Dans l'expression *avoir du front tout
l'tour d'la tête* ,
signifie être <u>très</u> effronté .

G

comme
dans

gougoune

*

Gager :
Parier .
*

Gajure :
Pari .
*

Gallon :
1- Mesure liquide, contient 4 pintes de
40 onces, soit environ quatre litres et
demi . **2-** Ruban de bordure, en
couture. **3-** *Gallon à mesurer* :
ruban à mesurer .
*

Garnotte :
Gravier , gravillon .
« *Tourne au chemin en garnotte ,*

pis fais trois milles ! » .

*

Gaz :
Essence. Abréviation de gazoline .

*

Gazer :
Faire le plein .

*

Glace :
Ce mot s'utilise dans le sens de **1-** glaçons (« *Veux-tu de la glace dans ton verre ?* » , *mettre de la glace dans un breuvage*) , ou alors dans le sens de bloc de glace, mais ***jamais*** dans le sens de crème glacée, ou de miroir. **2-** Patinoire. « *Les enfants passent le plus clair de leur temps sur la glace* » . **3-** *Pont de glace :* pont saisonnier formé de la glace d'une rivière, d'un lac, et qui permet aux véhicules de les traverser. Même de lourds véhicules comme des camions se permettent ainsi de franchir les eaux pendant près de six mois sur douze. Au début du siècle, avant la construction du pont Jacques-Cartier dans les années trente, à Montréal,

même le train profitait du pont de
glace !

*

Gougoune (n.f.) :

Gougounes en caoutchouc :
sandales appelées en France
du mot anglais tongues .

*

Gomme :

1- à mâcher : on dit *de la gomme* en
général, ou *une gomme* quand il
s'agit d'une seule . **2-** On ne dit
jamais une gomme à effacer,
on dit *une efface* *.

*

Gorlot :

Saoûl . *Il est encore gorlot ...*
Déformation de grelot .

*

Gosse (n.f.) :

Testicule . **Alors là , attention !**
Au grand jamais , on ne demande
à un québécois , surtout en présence
de sa femme , s'il a une photo
de ses gosses !

*

Gosser :

1- Faire quelque chose de peu d'importance. **2-** Sculpter à l'aide d'un canif ou d'un couteau .

2- *Gosser un morceau de bois* .

*

Gourgane (n.f.)

Sorte de fève dont on fait une soupe excellente, spécialité de la région Saguenay-Lac St-Jean .**Tâchez d'en manger si vous visitez cette région**. En Normandie, on l'appelle fève des marais…

*

Gravelle (de la) :

Gravier . *De la belle grosse gravelle* . En France, on dit du gravillon .

*

Greyé (e) :

Equipé . *Mon frère est greyé pour le ski* . Etre bien greyé, doté d'attributs physiques impressionnants .

*

Guidoune (n.f.) :

Prostituée , ou fille facile . « *Tu devrais pas t'maquiller autant , ça fait guidoune !* » .

*

Guidaille (n.f.) :
Synonyme de guidoune .

*

* *

* * *

I comme dans

Innocent

et **J**

comme dans

jaseux

*

Icitte :
Ici .

*

Innocent (n. et adj. m.et f.):
Idiot , imbécile . Se dit encore dans
certaines régions de France .

*

Itou :
Aussi . (Comme dans le patois de
bien des régions françaises) .

*

Jambette :
Croc-en-jambe .
Donner une jambette .

*

Jaquette :
Robe de nuit .

*

Jasage (du) :
De la conversation inutile .

*

Jasant (e) :
Qui a beaucoup de conversation .

*

Jaser :
Discuter , converser . Pas de
connotation péjorative .

*

Jasette (n.f.) :

1- *Avoir de la jasette*, se dit de quelqu'un qui parle beaucoup . **2-** *Piquer une jasette avec quelqu'un* , discuter avec qq .

*

Jaseux (euse) (adj. qual .) :
S'utilise surtout en disant de quelqu'un qu'il n'est *pas jaseux* (euse) , i.e. taciturne .

*

Joual :
1- Cheval . **2-** Le joual : le parler québécois du peuple , que certains intellectuels dénigrent .

*

Juqué :
Juché . Cette prononciation est d'origine normande .

*

Juquer :
Jucher . *Le coq s'est juqué sur la clôture .*

K comme dans

kétaine

*

Kétaine (adj. qual .) :
Cucu , démodé ,
arriéré , beauf !

Ce n'est qu'une hypoyhèse , mais il
semblerait que ce mot serait une
déformation du nom d'une famille
anglaise , les Kitten , et qu'on
aurait voulu dire *aussi mal habillé ,*
aussi arriéré que les Kitten .

*

* *

L comme dans

Lousse

*

Lâcheux (euse) :
Qui abandonne vite , qui quitte avant
la fin . « *Tu pars déjà , maudit*
lâcheux ! » .

*

Lambineux (euse) :
Personne qui va lentement , qui
traîne de la patte .

*

Licher :
Lécher .

*

Licheux (euse) :
En France , on dit lèche-cul .

*

Liqueur :
Boisson gazeuse , genre
Seven-Up , ou Coke .

*

Lousse :

99

1- Qui a du jeu . *Des pantalons trop lousses* . Des boulons mal serrés ont *du lousse* . **2-** Généreux . *Avoir du lousse* , ou *être lousse* , signifie qu'on ne tient pas son portefeuille trop serré . 3- *Donner du lousse à ses enfants* , leur laisser beaucoup de liberté . **4-** *Se lâcher lousse* , se laisser aller à des folies .

*

Lumière :

1- Feu de circulation. Méfiez-vous ! Si on vous dit de tourner *à la troisième lumière* , n'allez pas compter les lampadaires ! **2-** Les phares d'auto . *Allumer ses lumières.* A ce propos on ne parle pas chez nous de codes , de feux de croisement ou de phares , mais *grosses* ou *petites lumières* « *Mets les grosses , on voit rien !* » , ou encore *des hautes et des basses* …

comme dans

maringouin

*

Magané (e) :
Abîmé , ou en mauvaise santé .
*

Maganer :
Abîmer .
*

Magasinage (n.m.) :
Action d'aller magasiner .
*

Magasiner :
Faire des commissions .
*

Malaisé :
Pas facile .
*

Malfaisant (e) :

Animé de mauvaises intentions ,
qui fait du mal aux autres .

*

Malle (de la) (n.f.) :
Le courrier . Or. : du vieux
français malle-poste . *Recevoir ,
envoyer de la malle . Boîte à malle.
Maller une lettre* .

*

Marde :
Merde .

*

Maringouin (n.m.) :
Insecte piqueur du genre appelé en
France moustique , mais beaucoup
plus vorace ...

*

M'as :
Je vais . « *M'as téléphoner
à ma voisine* » .

*

Maskinongé :
Cousin du brochet. Or. amérindienne.

*

Maudit :
Sacre* . Un maudit bon film .

*

Mauditement :

Beaucoup , fortement .

*

Méchant :
Très fort , énorme , important . *Une méchante facture de téléphone , un méchant cadeau* .

*

Mélasse (n.f.) :
Sucre de canne liquide très noir et concentré. S'utilise comme des confitures, sur du pain, dans la recette des *binnes** à la mélasse, ou dans nos fameux *biscuits à la mélasse* .

*

Méné (n.m.) :
Petit poisson , mort ou vivant , qui sert d'appât pour la pêche .

*

Mesures

... de longueur
1 pouce = 2.54 cm
1pied = 12 pouces = env. 32cm
1verge = 3 pieds = env. 1 mètre
1arpent = 192 pieds = env. 60 m
1 mille = 5280 pieds = env. 1.6 km

...de poids :

1 livre = 454 grammes		
1 once = env. 28 grammes		
...liquides :		
1 pinte = 40 onces = 1.14 litre		
1 chopine = une demi-pinte = 57 cl		
1 demiard = une demi-chopine =28 cl		
1 tasse = 8 onces = env. 20 cl		

*

Micmac (n.m.) :
Situation trouble , pas claire , ou encore inextricable. Du nom d'une tribu amérindienne .

*

Mille :
Voir mesures .

*

Minou :
1- Chat . 2- Sexe féminin . 3- Tissu de recouvrement genre velours . *Un couvre-sièges en minou* .

*

Minoune :
1- Chatte . 2- Sexe féminin .
3- Auto usagée en très mauvais état .   4- Fille. (Vulgaire) .

*

Mitaine (s) :

Moufle . Une belle grosse
paire de mitaines .

*

Moppe (n.f.) :
Instrument servant à laver les
*planchers**, constitué d'un manche
en bois et d'un gros tas de franges
torsadées en coton blanc. En France,
on semble avoir oublié ce mot et, si
l'instrument fait un timide retour
dans les magasins, on lui donne
maintenant le nom de balai espagnol !
On dit au Québec « *On va passer
la moppe* » .

*

Mornifle (n.f.) :
Grosse tape sur la gueule .

*

Morvia (n.m.) :
Gros crachat de morve .

*

Motton :
1- Motte. *Un gros motton de
terre , de poils* . **2-** Grosse somme
d'argent. *Gagner un motton* .
3- Tas, amas (de vêtements) .

4- Grumeaux . (*Des mottons dans la pâte à crêpes*) **5-** *Avoir le motton* , ou *le motton dans la gorge* , être très ému .

*

Motonné (e) :
Rempli , couvert de mottons .

*

Motonner :
Former des mottons , de poils ou d'autre chose .

*

Mouffette (n.f.) :
Petit mammifère ongulé des forêts d'Amérique du Nord, noir, mais rayé de blanc sur le dos. Grâce à une glande placée sous sa queue, il est craint autant de l'homme, malgré sa petite taille, que de tous les autres animaux de la forêt. Quand il se sent menacé, il tourne le dos, lève la queue, et lance avec une impressionnante précision un jet d'une odeur parfaitement nauséabonde . Le seul moyen de se débarrasser de cette odeur est le bain dans du jus de tomates... Sûre d'elle , grâce à ce moyen de défense

imparable, elle déambule lentement,
ne se méfiant de rien... même pas des
autos ! On en écrase donc
fréquemment sur nos routes .
Vous verrez comme ça
sent bon... si vous passez
dessus avec votre véhicule !

*

Mouiller :

Pleuvoir . *Mouiller à siaux* .

*

Moumoune (n.f.) :

1- Homosexuel (elle) .

2- Personne sans courage ou sans
ardeur. *Une vraie moumoune !*

*

Mouver   :

Déménager, bouger . *Se mouver,*
se déplacer .

* * *

* *

*

N

comme dans

niaiseux

*

Nanane (s) :
Bonbon . Vient du vieux français
nanan . *Acheter des sacs de nananes* .

*

Nettoyeur :
Un truc : au Québec , ne demandez
pas où se trouve le *pressing* !

*

Niochon ou **gnochon :**
Niais , imbécile .

*

Nul (n. et adj.) :
Personne sans intelligence .
Un (une) nul (le) .

* *

O comme dans

ostie !

*

Once (s) :
1- Division de la *livre**. **2-** Division de la *pinte** . Voir mesures.

*

Orangeade :
Boisson gazeuse à l'orange .

*

Ostie :
Sacre* .

*

Ostinage (n.m.) :
Joute orale , conversation ou une personne ne fait que contredire son interlocuteur .
« C'est rien que de l'ostinage... » .

*

Ostination (n.f.) :
Synonyme d'ostinage .
Quelquefois employé comme *sacre**.

*

Ostineux (euse) (n. et adj. :
Qui passe son temps à ostiner .
*

Ouananiche :
Poisson d'eau douce de la famille
des salmonidés .
*

Ouin :
Comme le **ouais** français, le *ouin*
québécois est un oui plus ou moins
convaincu, selon les circonstances .
Malheureusement il rime avec le **hein**
français, ce qui provoque parfois la
situation suivante : un Français parle .
Le Québécois a bien compris et
acquiesse en répondant *ouin* . Mais
le Français, qui a cru   entendre
« **hein ?** » , croit qu'il a été mal
compris, et répète toute l'histoire...

*

Oussé ? :
Où ? « *Oussé qu'tu veux aller ?* » .

P comme

dans

pitoune

*

Paquet :
Grosse quantité . (de problèmes,
d'amis, de projets, etc.). En France :
un tas . *Un paquet de nerfs* : personne
très énervée .

*

Patate :
Au singulier : frites . « *Une patate
avec ça ?* » . *Patates pilées* : purée .

*

Pâté chinois :
Plat composé de 3 couches
superposées : *patates pilées** , viande
hachée et *blé d'Inde** .

*

Patente (n.f.) :
Chose , objet .
*

Patenter :
1- Bricoler .   **2-** Fabriquer .
*

Patenteux (euse) :
1- Sorte de bricoleur ou
d'inventeur génial . **2-** Dans un sens
péjoratif , personne qui ne fait que
des choses mal faites .
*

Parchaude :
Autre prononciation du
mot suivant .
*

Perchaude :
Poisson d'eau douce appelé en France
perche . Se dit aussi dans le Berri et le
Bourbonnais .
*

Piasse :
Prononciation la plus usuelle du mot
piastre, signifiant dollar. *Un cadeau*
de deux piasses et demi .
*

Pissette (n.f.) :
114

Sexe masculin .

*

Piton :

Bouton , interrupteur .

*

Peser ou péser :

Appuyer . *Péser sur le gaz :*
accélérer. *Peser sur un piton* .*

*

Pichenotte :

Prononciation québécoise de
pichenette .

*

Pied :

Voir mesures .

*

Piler :

Marcher sur . *Piler dans la marde :*
Marcher dans la merde .

*

Pinte :

Voir mesures .

*

Piquer :

En France , on dit gratter ...Chez
nous , c'est quand _ça_ pique ,
qu'on _se_ gratte !

*

Pissette (n.f.) :
Sexe masculin .
*

Pisseux (euse) :
Peureux. Syn. : pissou .
*

Piton :
Bouton .
*Un amplificateur avec des
gros pitons noirs .*
*

Pitonner :
Utiliser des boutons de façon
répétitive. Actionner de façon rapide
et répétitive une télécommande .
« Arrête de pitonner, tu m'énerves » .
Remplace favorablement chez nous
votre « zapper » .
*

Pitou :
1- Chien . *Acheter un gros pitou .*
2- Surnom affectueux . *« As-tu faim ,
mon pitou ? »* .
*

Pitoune :
1- Fille (légèrement vulgaire) . *Une
belle pitoune .*   **2-** Billot de bois :

une pitoune de 4 pieds* .

*

Plaisant (e) :
Intéressant, en général. Sympathique,
en parlant d'une personne .

*

Plaqué (e) (adj.) :
Qui a perdu la raison , fou .

*

Plein (n. et adj.) :
1- Adj. : rassasié. **2-** Adj. : saoûl .
3- N.m. : riche . **4-** Comme insulte :
plein d'*marde**! **5-** Loc. adv. *à plein* :
beaucoup , au maximum .

*

Plotte (n.f.) :
1- Fille (vulgaire) .
2- Sexe féminin (vulgaire) .

*

Poche (n. et adj.) :
1- N.f. : scrotum . **2-** Adj. : nul . *Trop
poche pour réussir ses examens* .

*

Pocher :
Rater . *Pocher ses examens* .

*

Pogne (n.f.) :
Attrape-nigaud .

Pogné :

1- Attrapé physiquement (un objet, une maladie, etc.) . *Etre pogné* : coincé, gêné, embarrassé .

*

Pognée :

Poignée (de porte, de sac, de valise, de mains) .

*

Pogner :

Attraper. *Pogner le rhume, pogner la hache, les nerfs, l'air bête** .

*

Ponton :

Embarcation faite d'une plateforme reliant deux flotteurs, munie d'un hors-bord . On s'en sert surtout pour pêcher et se promener en famille . Souvent couverte d'un toit repliable, parfois fixe, le ponton est présent sur beaucoup de lacs et de larges rivières, ainsi que sur le fleuve, dans la région de Montréal . Rarement sur la mer, en raison de son manque de stabilité et d'efficacité dans les grosses vagues . Vous pourrez en

louer un sur certains lacs ou rivières
du Québec…

*

Possiblement :

Peut-être , éventuellement .
« Tu vas venir demain ?
- Possiblement … » .

*

Poste :

Chaîne de télévision . *« Encore*
du sport ? Change de poste ! » .

*

Pouce :

1- Voir le mot mesures. 2- *Faire du*
pouce : faire de l'auto-stop .

*

Poucer :

Synonyme de *faire du pouce** .

*

Pouceux (euse) :
Qui fait du pouce*.

*

Poudrer :

Action de venter en soulevant
la neige. Quand le vent se lève,
il va poudrer .

*

Poudrerie (n.f.) :

1-Vent qui pousse et soulève
la neige déjà tombée . **2**- Cette neige .

*

Poutine :

Mets typique constitué de frites , de
fromage en grains (appelé aussi
fromage en crottes) , et d'une
sauce brune spéciale. Certains
Français l'adorent, d'autres
détestent… essayez , vous jugerez !

*

P.Q. :

Abréviation de Parti Québécois .
Rien à voir avec le p-q français .
Ainsi , si on vous demande votre
opinion sur le PQ , ne dissertez
pas sur la couleur ou la qualité
du papier...

*

Prelart ou **prélart** :

Revêtement appelé en France sol
plastique , ou lino .

*

Q

comme dans
quétaine

*

Quatre-pour-cent :
Somme donnée par un employeur au début des vacances anuelles , et correspondant à deux semaines de salaire annuel . Lors d'un congédiement , on recevra 4% des salaires gagnés jusqu'alors . *Avoir* , ou *recevoir son 4%* signifie donc se faire congédier .

*

Quétaine :
Voir kétaine .

comme dans

rabette

Rabaska (n.m.) :
Grand canot amérindien servant
autrefois au transport de matériel ,
ou d'une famille , et encore utilisé
pour la chasse et la pêche .
*

Rabette (n.f.) :
Rut . *Etre en rabette* .
*

Raboudinage (n.m.) :
Rafistolage .
*

Raboudiner :

Rafistoler, bricoler,
mais n'importe comment .

*

Racoin :
Recoin .

*

Rang :
Chemin rural , souvent numéroté .
*Habiter **dans** le premier rang* .

*

Rapport :
Rapport à : au sujet de ...

*

Raqué (e) :
Fatigué , avec plein de douleurs .

*

Raquetteur (euse) :
Qui pratique le sport de la raquette .
Si on vous propose de faire partie
d'un groupe de *raquetteurs* , ne
confondez pas avec racketteurs , et
n'allez pas appeler la police !

*

Ratoureux (euse) :
1- Qui a tendance à jouer des tours .
2- Sournois .

*

Réchaud :

Deuxième café , qu'on vous offrira gratuitement : on *réchauffera* votre café…simplement en en remettant sur ce qui reste dans votre tasse .

*

Ressoudre :
Arriver inopinément .
« *Il a r'ssous par derrière* » .

*

Restaurant :
Tout endroit où on peut manger s'appelle au Québec restaurant. Ne soyez donc pas étonnés que dans certains on ne trouve que des sandwiches , ou de la restauration rapide. Ils sont ouverts toute la journée , et souvent 24h/24… Vous entrerez, vous irez vous asseoir sans demander la permission à qui que ce soit, contrairement à ce qu'on fait souvent en France, et vous commanderez un café…sauf dans certains restaurants un peu plus chics , surtout si c'est complet .
A vous de juger .

R'voler :
Gicler , éclabousser .
L'eau qui r'vole partout .
*

Roche :
On emploie rarement les mots
pierre , ou caillou , on dit plutôt
une grosse roche .
*

Ruban adhésif ou
ruban gommé :
Tournures québécoises du scotch
...qui chez nous est une sorte de
whiskey !
On dit aussi *papier collant* .

S

comme dans

siffleux

*

Sac :
1- Sac d'école . Appelé cartable
en France . **2-** Scrotum . *Un
coup de pied dans le sac* .

*

Sacrament :
Sacre* .

*

Sacrant (e) :
Fâcheux . *Avoir une crevaison quand
on est habillé en propre , c'est
sacrant . Une situation sacrante* .

*

Sacre :
Juron . Voir page suivante !

Quelques sacres québécois

Astie, astifie, bâtard,
bon-yenne, bon-yeu, cacarnak,
câlice, câlipisse, calvince,
calvinus, chnoutte, criss', crotte,
jériboire, marde, maudine,
maudit, misère, mosus, ostie,
ostifie, sacrament, sacramouille,
sacrifice, sacrifie, saint-chris',
saint-ciboire, saint-crème,
saint-sacrament, saint-sacrifice ,
saint-simonak, sainte,
sainte-viarge, simonak, tabarnak,
torbine, torrieu , torpinouche,
torvis , viarge .

sacres combinés

criss' de câlice
criss' de criss'
ostie d'câlice
ostie de criss'
câlice de tabarnak
criss' de tabarnak
maudite viarge
maudite marde

ostie d'tabarnak .

*

**sacres utilisés
comme verbes :**
câlicer , décâlicer , crisser , décrisser ,
ostifier , tabarnaker ,
ou comme adverbes !
câlicement , crissement .

*

Quand vous entendrez
_en_... suivi d'un sacre ,
vous saurez que
ça signifie : beaucoup .
Ex . :
*Manger _en_ ostie ,
fumer _en_ tabarnak* , etc .

*

Un tabarnak de beau char :
une très belle auto .

*

Ah! toé , _mon_ criss ! :
toi , mon salaud !

*

Sacrer :

Jurer .

*

Sacripant (e) :
Personne blagueuse , *ratoureuse** .

*

Safe (n. et adj.) :
Qui mange gloutonnement .
Gourmand, insatiable, qui
avale à toute vitesse . (Présent
en 1940 dans le Larousse) .

*

Sciotte (n.m.) :
Petite scie à bois . On retouve le
même mot prononcé sciot et avec le
même sens dans le parler cauchois .
(Région de Caux , Normandie) .

*

Senteux (euse) :
Curieux . *« Tu m'espionnes*
encore , maudit senteux ! » .

*

Sentir :
Regarder partout , espionner .
« R'garde l'autre ! Encore en train
d' sentir par la fenêtre ! » .

*

Siffleux (n.m.) :
Marmotte .

*

Snoro (n.m. et f.) :
Taquin , joueur de tours , espiègle .

*

Souper :
Repas du soir .

*

T

comme dans

tarlat

*

Tabaconiste (n.m.) :
Voir tabagie* .
*

Tabagie (n.f.) :
Magasin spécialisé dans le tabac , et
les produits annexes . Bien qu'on
puisse le trouver en vente libre dans
les garages, épiceries et restaurants,
la tabagie est le seul endroit où vous
risquez (peut-être) de trouver des
cigarettes américaines, pas très prisées
et presque inconnues au Québec ...
*

Tannant (e) (n. et adj.) :
Espiègle, dissipé, ou emmerdant .
*

Tanner (se) :
Se lasser . Etre tanné de
regarder la télévision .
*

Tantôt :
Plus tôt ou plus tard, selon le
contexte, mais peut être utilisé à toute
heure du jour ou de la nuit .
*

Tarlat (n. et adj .) :
Idiot . En général invariable
comme adjectif . *Elle est trop tarlat*
pour moi .
*

Tarte :
Simple d'esprit . *Etre tarte* .
*

Tasser :
Serrer. « *J'ai ralenti , puis je me suis*
tassé sur le bord de la route » .
*

Taupin (n.m.) :
Colosse , armoire à glace .
*

Teindu :

Teint . *Des cheveux teindus* .

*

Têtage (n.m.) :

C'est du têtage : de la perte de
temps . « *Arrête ton têtage* » :
ton léchage de cul .

*

Têter :

1- Perdre son temps . **2-** *Lécher
le cul à quelq'un* (son patron par
exemple) pour obtenir des faveurs .

*

Têteux (euse) :

1- Personne qui perd son temps .
2- Lèche-cul .

*

Tire :

Tire sur a neige : friandise printanière
faite de sirop d'érable bouilli, versé
très chaud sur la neige. Quand il y
fige, on l'enroule sur un bâtonnet pour
le déguster.

*

Tocson :

Colosse , armoire à glace , *beû** .
Existe en patois normand dans le sens
de têtu, ou pas parlant .

Tomate :
Dollar. *Payer 50 tomates* .

Tonne :
Sentir la tonne . Avoir une haleine
chargée d'alcool .

Torche (n.f.) :
Uniquement dans l'expression
une grosse torche, qualificatif très
peu flatteur désignant une grosse
femme .

Torcher :
1- Forme pronominale : s*e torcher* ,
s'essuyer les fesses. **2-** Forme active :
faire le ménage en général .

Torrieu :
Sacre* . (De tord Dieu) .

Torvis :
Sacre* .

Toton :
Niais . *Avoir l'air toton* .

Tour (n.m) :

Avoir le tour : la façon .

« *T'as l' tour avec ma soeur...* » .

*

Totoune , toutoune (n.f.) :

Personne obèse.*Une grosse toutoune* .

*

Traîne-sauvage :

Sorte de luge en bois, pour jouer dans la neige, mais qui fut d'abord un outil de transport pour les amérindiens .

*

Trâllée (n.f.) :

Une grande quantité .

Avoir une trâllée d'enfants .

*

Trappe :

Bouche. *S'ouvrir, se fermer la trappe.*

*

Traverse (n.f.) :

1- Lieu où l'on trouve un *traversier**.

2- Le traversier lui-même . *Traverse d'hiver* , ou *traverse sur la glace* : quand la glace est assez épaisse, on traverse en auto ou même en camion sur la glace . Voir *pont de glace**.

*

Traversier :
Bateau-passeur . Il est fréquent sur les rivières du Québec . Mot québécois .
*

Trépied :
Hameçon triple .
*

Trôle :
Cuiller pour la pêche .
*

Trôler :
Pêcher à la traîne , avec une trôle .
*

Tuque :
Bonnet en laine, souvent garni d'un pompon .
*

Twist (n.f.) :
Avoir la twist : avoir la façon .

U

comme dans

Ustensiles

*

Ustensiles :
Couteaux ,
cuillers et fourchettes ,
appelés en France
couverts .

*
* *
* * *

V

comme dans

vidangeur

*

Vadrouille :
Instrument fait de courtes franges de
coton et muni d'un manche ,
servant à ramasser la poussière sur les
planchers . *Passer la vadrouille* .

*

Va-vite (n.m.) :
Diarrhée . *Avoir le va-vite* .

*

Valise :
Coffre de l'auto . Ne soyez pas
étonnés qu'on vous offre de mettre
vos valises dans la valise...

*

Vente de garage :

N'a rien à voir avec les véhicules !
C'est ce que vous appelez chez vous
vide-grenier… On met ce qu'on veut
vendre sur le trottoir, devant sa
maison (ou son garage, si on en a
un) et les gens s'arrêtent pour
acheter. On l'annonce souvent dans
les annonces classées, ou par des
pancartes posées sur les poteaux de
téléphone ou les lampadaires…

*

Verge :
Voir mesures .

*

Verrat (n. et adj.) :
Personne malhonnête .

1- « *Cte gars-là , c'tin verrat !* » .
2- Locution adverbiale . *En verrat*
signifie beaucoup . « *Chu*
fatigué en verrta ! » .

*

Vesse :
Pet puant mais silencieux . Notez
aussi qu'on prononce toujours ici
le **t** de pet…

*

Vidanges :
Déchets. *Sortir les vidanges* .

Ce mot n'est **jamais** utilisé pour
l'huile automobile . On dit alors
faire un changement d'huile .

*

Vidangeur :
Eboueur .

*

Viarge :
Viarge ! Sacre* .

*

Vlimeux (euse) :
Joueur de tours , coquin .

W

comme dans

wouawouaron

*

Wak (ou *ouac*) :
Cri très fort . *Lâcher un wak* .

*

Willie (n.m.) :
Masturbation. Synonyme de
crossette*. *Se passer un willie.*

* *

Wawouaron (*ou* **ouaouaron**)
(n.m.) :
Sorte de grosse grenouille .
Mot d'or. amérindienne .

Y comme... y ?

y :
Il . Comme dans *il cherche...*

Z

comme dans

zigonner

*

Zigonner (verbe pas très actif !) :
Travailler sans arriver à quelque
chose . « *Arrête de zigonner sur
ton moteur , tu m'énerves ...* » .
*

Zigonneux (euse) :
Qui zigonne ! On dit donc
d'un gars : *Y zigonne !*
Ne pas confondre avec
His he gone ? !
*

Zouave :
Hurluberlu .

Quelques notions de la langue parlée du Québec

Si vous pouvez retenir des mots ou expressions, ce qui est une chose, il n'en est pas moins utile de posséder quelques notions de la langue parlée québécoise autres que celles du vocabulaire. En effet, elle diffère en bien des points de la langue française de la métropole, et vous serez parfois surpris de ne pas comprendre le sens d'une phrase, **même si vous en comprenez bien tous les mots...**

Une des notions les plus importantes de ce code tacite est la suivante: il n'est pas rare d'entendre un adjectif suivi d'une locution formée de la préposition **en** et d'un sacre, ou juron, plus ou moins grossier selon le cas ...

Imaginons qu'un Québécois dise :
« *Mon beau-frère est **en ostie** après moi* » . Même si vous avez mémorisé la liste exhaustive des *sacres* (*jurons*) , et que vous savez fort bien que *ostie* est l'un d'entre eux, vous resterez perplexe devant cette tournure ! Sachez donc que tout *sacre* , précédé de **être en** signifie alors **en colère**, ou **fâché** ...

Mais attention : si **en ostie** n'est pas précédé de **être** , ce n'est plus du tout pareil ! La preuve :

Mon beau-frère est

<u>content</u> en ostie !

* * *

*

Notez aussi que :
Le **j** est souvent remplacé par **ch** :
Ex. : Ch't'en veux . Ch'pas d'accord .
Mais dans le cas de **je suis** , souvent remplacé même en France par **chuis** , nous poussons plus loin : **chuis content** devient **chu content** , et même **ch'content** . **Chuis tanné**

devient ***chu tanné*** et finalement
ch'tanné !

<u>Si le mot commence par une
voyelle</u> , on y rajoute un ***t*** :
ch'técoeuré , ***ch'tarrivé*** ,
ch'tadmis à l'école...

*

Ar remplace ***er*** . Par exemple :
merde = marde
perdu = pardu .
**(Comme en patois berrichon ,
nivernais , etc.)**

* *

Er ou ***or*** remplacent ***re***
gernouille ou ***gornouille***
= grenouille
gerlot ou gorlot
= grelot .

*

On rajoute souvent ***t'*** devant *en* .

« *T'en veux-tu ?* »
pour   « *En veux-tu ?* » .

*

«*T'en as-tu assez ?* »
pour «*En as-tu assez ?* » .

*

On remplace parfois le *il* par le *tu* :
Y a <u>tu</u> soif ?
pour A-t'il soif ?...

* * * * *

**

Généralités sur l'emploi des adverbes

On peut dire sans se tromper que si les Français et les Québécois sont des deux côtés de l'atlantique, ils sont aussi séparés par un océan dans l'utilisation qu'ils font à l'heure actuelle des adverbes...

Voici quelques exemples ,
mais vous en remarquerez
bien d'autres .

Au Québec

Viens ici ! ou icitte
Aller <u>vers</u> Québec

En France

Viens là !
Aller <u>sur</u> Paris

En conclusion , et comme je l'ai déjà mentionné , un océan sépare à présent nos deux façons de parler cette langue merveilleuse et colorée qui est la nôtre . Nous ne serons jamais parfaitement d'accord sur l'utilisation de tel ou tel mot , l'emploi de telle ou telle tournure , par celui d'en face : plus de trois siècles séparent maintenant nos routes linguistiques .

Mais cultivons ces différences , et ainsi faisons en sorte de garder tout l'intérêt de voyager à la découverte de nos cousins...

Ephrem D.

Bibliographie

Le dictionnaire québécois , de Léandre Bergeron .

Le Petit Larousse , différentes éditions , de 1940 à aujourd'hui .

Le Petit Robert , différentes éditions .

Dictionnaire Hachette . différentes éditions .

L'pâlé d'aöt'fai 1936-1986 , de Jacques-J. Hoizey .

Le patois cauchois , de Raymond Mensire .

Le parler normand , mots et expressions du terroir , de Patrice Brasseur ,

Dictionnaire de l'ancien francais jusqu'au milieu du XIVème siècle . de A . J . Greimas . Larousse , 1980 .

Notes personnelles
Notez ici vos trouvailles…

Achevé d'imprimer chez
MARC VEILLEUX IMPRIMEUR INC.,
à Boucherville,
en janvier deux mille deux